# Composición de Sentence Writing

MW00436004

### Primer a Tercer Grado
### Grades 1-3

**Escrito por/Written by Ruth Solski**
**Traducido por/Translated by Hellen Martínez**
**Ilustrado por/Illustrated by S&S Learning Materials**

ISBN 1-55035-844-8
Copyright 2005
All rights reserved • Printed in Canada

Published in the United States by:
On the Mark Press
3909 Witmer Road PMB 175
Niagara Falls, New York
14305
www.onthemarkpress.com

Published in Canada by:
S&S Learning Materials
15 Dairy Avenue
Napanee, Ontario
K7R 1M4
www.sslearning.com

# Bilingual Workbooks in Spanish and English

## Basic Skills in Language and Mathematics for:

- ESL (English as a Second Language)
- SSL (Spanish as a Second Language)
- ELL (English Language Learners)

Congratulations on your purchase of a worthwhile learning resource! Here is a ready-to-use bilingual series for busy educators and parents. Use these workbooks to teach, review and reinforce basic skills in language and mathematics. The series' easy-to-use format provides Spanish content on the right-facing page, and the corresponding English content on the left-facing page. Comprised of curriculum-based material on reading, language and math, these workbooks are ideal for both first and second language learners.

Wherever possible, the activities in this series have been directly translated from one language to the other. This "direct translation" approach has been used with all activities featuring core skills that are the same in both Spanish and English. For the basic skills that differ between Spanish and English, an "adaptation" approach has been used. In the adapted activities, the Spanish content may be very different from the English content on the corresponding page – yet both worksheets present concepts and skills that are central to each language. By using a combination of both direct translations and adaptations of the activities, this bilingual series provides worksheets that will help children develop a solid understanding of the basic concepts in math, reading and language in both Spanish and English.

## Composición de Oraciones/Sentence Writing

*Composición de Oraciones/Sentence Writing* is an effective resource for teaching proper sentence structure. The activities in this book help students recognize the structure of the four types of sentences: assertive (telling), interrogative (question), exclamatory, and imperative (command); the activities also provide writing practice for each of these types of sentences.

## Also Available

# Spanish/English Practice in...

OTM-2524 • SSY1-24   Numeración/Numeration
OTM-2525 • SSY1-25   Adición/Addition
OTM-2526 • SSY1-26   Sustracción/Subtraction
OTM-2527 • SSY1-27   Fonética/Phonics
OTM-2528 • SSY1-28   Leer para Entender/Reading for Meaning
OTM-2529 • SSY1-29   Uso de las Mayúsculas y Reglas de Puntuación/
Capitalization & Punctuation
OTM-2530 • SSY1-30   Composición de Oraciones/Sentence Writing
OTM-2531 • SSY1-31   Composición de Historias/Story Writing

# Cuadernos de trabajo bilingües en español e inglés

## Fundamentos de lenguaje y matemática para:

- ISI (Inglés como Segundo Idioma)
- ESI (Español como Segundo Idioma)
- EII (Estudiantes de Idioma Inglés)

¡Felicitaciones por la compra de esta valiosísima fuente de aprendizaje! Aquí tiene usted una serie bilingüe para educadores y padres lista para usar. Estos libros de trabajo los puede utilizar para enseñar, revisar y reforzar las habilidades básicas de lenguaje y matemática. El formato fácil de usar de esta serie le permite hacer los mismos ejercicios en dos idiomas simultáneamente, pues presenta el contenido en español en la página derecha y el contenido equivalente en inglés en la página izquierda. Compuesto por material basado en currículos escolares en lectura, lenguaje y matemática, estos libros de trabajo son ideales para estudiantes que están aprendiendo inglés y/o español como primer o segundo idioma.

Las actividades de esta serie se han traducido del inglés al español tratando de mantener la mayor similitud posible, intentando lograr un enfoque de "traducción directa". Este enfoque se ha mantenido en todas las actividades principales tanto en inglés como en español, y en los casos en los que no se pudo hacer una traducción directa debido a las diferencias lingüísticas, se optó por la "adaptación" de las actividades. En las actividades que han sido adaptadas, el contenido en español varía del contenido de la página correspondiente en inglés, pero, aun así, ambas hojas de trabajo mantienen los conceptos y habilidades que son centrales en cada idioma. Empleando una combinación de traducción y adaptación de las actividades, esta serie bilingüe ofrece hojas de trabajo que ayudarán a su niño a desarrollar una sólida comprensión de los conceptos básicos en matemática, lectura y lenguaje tanto en español como en inglés.

## Composición de Oraciones/Sentence Writing

*Composición de Oraciones/Sentence Writing* es un recurso efectivo para enseñar o revisar cómo escribir oraciones adecuadamente. Las actividades de este libro ayudan a los estudiantes a reconocer la estructura de los cuatro tipos de oraciones: oración enunciativa, oración interrogativa o pregunta, oración exclamativa y oración imperativa u orden, ofreciendo ejercicios prácticos para cada uno de los casos.

## También tiene disponible
# Prácticas en Español/Inglés en...

| | | |
|---|---|---|
| OTM-2524 • SSY1-24 | Numeración/Numeration | |
| OTM-2525 • SSY1-25 | Adición/Addition | |
| OTM-2526 • SSY1-26 | Sustracción/Subtraction | |
| OTM-2527 • SSY1-27 | Fonética/Phonics | |
| OTM-2528 • SSY1-28 | Leer para Entender/Reading for Meaning | |
| OTM-2529 • SSY1-29 | Uso de las Mayúsculas y Reglas de Puntuación/ | |
| | Capitalization & Punctuation | |
| OTM-2530 • SSY1-30 | Composición de Oraciones/Sentence Writing | |
| OTM-2531 • SSY1-31 | Composición de Historias/Story Writing | |

# What is a sentence?

1. A **sentence** is a group of words that expresses an idea or a thought. It begins with a capital letter and ends with a period (.).

   **Examples:**

   September is the first month of autumn.
   The leaves turn color in the fall.

2. Some groups of words look like sentences but they are not. They are called "**pretenders**".

   **Examples:**

   *Growing in the garden*
   *In the autumn months*

   Something is missing. The **thought** has not been finished.

Underline the groups of words that are sentences.

1. The trees in the orchard are full of apples.
2. A chubby, yellow pumpkin
3. The frisky squirrel scampered up the tree with a nut in his mouth.
4. The rabbit ran into its hole in the ground.
5. At the fair last month
6. Sailed across the sky
7. The pink petunia felt all alone in the pumpkin patch.
8. A great big turtle
9. The little bird flew out of the nest and sat on the edge of a branch.
10. Near the edge of a great forest
11. One day last summer
12. To a stop
13. The moon is shining brightly on the snow tonight.
14. All the little fluffy ducklings
15. The cattle were grazing quietly in the pasture.

Skill: Understanding and Recognizing Sentences.

# ¿Qué es la oración?

1. La **oración** es un grupo de palabras que expresa una idea o un pensamiento. La oración comienza con letra mayúscula y termina con un punto (.).

   **Ejemplos:**  Setiembre es el primer mes del otoño.
   Las hojas cambian de color en el otoño.

2. Algunos grupos de palabras parecen oraciones, pero en realidad no lo son. A este grupo de palabras se les denomina "**frases**".

   **Ejemplos:**  *Crecer en el jardín*
   *En los meses de otoño*

Algo falta. No se ha terminado de expresar el <u>pensamiento</u>.

Subraya el grupo de palabras que son <u>oraciones</u>.

1. Los árboles de la huerta están llenos de manzanas.
2. Una calabaza regordeta y amarilla
3. La ardilla juguetona subió el árbol corriendo, llevando una nuez en la boca.
4. El conejo corrió hacia su hueco.
5. En la feria el mes pasado
6. Surcando los cielos
7. La petunia rosada se sentía muy solita en el huerto de calabazas.
8. Una tortuga enorme
9. El pajarito voló del nido y se posó en la rama de un árbol.
10. En el borde del gran bosque
11. Un día del verano pasado
12. En una parada
13. Hoy la luna brilla resplandeciente en la nieve.
14. Todos los patitos escurridizos
15. El ganado pastaba tranquilamente en la hierba.

Objetivo: Comprender y reconocer oraciones.

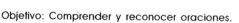

# Writing Sentences

A sentence that tells something can be called a **telling** sentence.

It begins with a **capital letter** and ends with a **period**.

Example:  The first little pig built a house of straw.

Neatly **copy** each sentence below on the lines provided.  Remember to begin each sentence with a **capital letter** and put a **period** at the end of each one.

1.  the ugly green caterpillar turned slowly into a very beautiful butterfly

_____

_____

2.  the black squirrel scampered up the colorful maple tree

_____

_____

3.  a large red leaf fell softly into the muddy water puddle

_____

_____

4.  mother makes chocolate pudding that is smooth and sweet

_____

_____

5.  it was so dark and gloomy on the street that I did not see the black cat

_____

_____

6.  the dark sky told us that a storm was coming soon

_____

_____

7.  i found a treasure chest filled with shiny gold coins and sparkling jewels

_____

_____

Skill:  Capitalizing and Punctuating Sentences.

# Composición de oraciones

La oración que dice algo se le conoce como oración **enunciativa**.

La oración enunciativa comienza con **letra mayúscula** y termina con un **punto**.

**Ejemplo:** El cerdito construyó una casa de paja.

**Copia** cada una de las oraciones de abajo de manera limpia y ordenada.
Recuerda: empieza la oración con **letra mayúscula** y termínala con un **punto**.

1. el feo gusanito verde lentamente se fue transformando hasta convertirse en una hermosa mariposa

_____

_____

2. la ardillita negra trepó corriendo el colorido árbol de arce

_____

_____

3. una larga hoja roja cayó suavemente en el charco de agua lodosa

_____

_____

4. mi mamá hace un pudín de chocolate que es dulce y muy suave

_____

_____

5. la calle estaba tan oscura y sombría que no vi el gato negro

_____

_____

6. el cielo oscuro nos decía que estaba por desencadenarse una tormenta

_____

_____

7. encontré un cofre de tesoro lleno de monedas de oro y joyas brillantes

_____

_____

Objetivo: Colocar mayúsculas y signos de puntuación correctamente.

# Something to Finish

Here are the beginnings of some sentences about bicycle safety.

Add words to finish them.

Make the sentences interesting.

1. Every year my father checks _____

   _____

2. I must stop my bicycle at _____

   _____

3. When I make turns I must _____

   _____

4. A bicycle is to be ridden _____

   _____

5. It is dangerous to _____

   _____

6. Every bicycle should have _____

   _____

7. A bicycle should be _____

   _____

8. Every bicycle rider must wear _____

   _____

9. Do not ride your bicycle _____

   _____

10. While riding a bicycle, things should be _____

    _____

11. Wear light colors at night when _____

    _____

12. Bicycles should be ridden on _____

    _____

Skill: Completing Sentences with a Proper Ending.

# Algo para terminar

Aquí tienes el inicio de varias oraciones que hablan de cómo estar seguro cuando manejas bicicleta.

Añade palabras para terminar las oraciones.

Haz oraciones interesantes.

1. Cada año mi papá revisa _____

_____

2. Debo detener mi bicicleta en _____

_____

3. Cuando voy a voltear debo _____

_____

4. La bicicleta es para que la manejen _____

_____

5. Es peligroso _____

_____

6. Toda bicicleta debe tener _____

_____

7. Toda bicicleta debe ser _____

_____

8. Todo ciclista debe usar _____

_____

9. No manejes tu bicicleta si _____

_____

10. Mientras manejas tu bicicleta, las cosas deben estar _____

_____

11. Usa ropa de colores brillantes en las noches cuando _____

_____

12. Sólo debes manejar bicicleta en _____

_____

Objetivo: Completar oraciones con un final adecuado.

# Writing Sentences

Complete the sentences about Freddy Frog.

1. Freddy Frog lives _____

2. He is a big _____

3. Freddy loves to sit _____

4. He uses his tongue _____

5. Freddy uses his legs for _____

6. In the winter Freddie sleeps _____

Complete the sentences about Mr. Snowman.

1. The children made a _____

_____

2. They rolled three _____

_____

3. Coal was used to _____

4. A straw hat was _____

5. Susan put sunglasses _____

6. He was dressed in _____

Complete the sentences about Wilma Witch.

1. In an old rickety house lived _____

2. With her lived _____

3. Wilma loved to make a special brew _____

4. In her brew she would put _____

5. Wilma stirred her brew while _____

6. Her brew would _____

Skill: Completeing Sentences About a Picture

# Composición de oraciones

Completa las siguientes oraciones sobre el Sapito Pedro.

1. El Sapito Pedro vive _____

2. Él es un gran _____

3. Pedro adora sentarse _____

4. Usa su lengua _____

5. Pedro usa sus patas para _____

6. En el invierno, Pedro duerme _____

Completa las siguientes oraciones sobre el Sr. Muñeco de Nieve.

1. Los niños hicieron un _____

_____

2. Hicieron tres _____

_____

3. Usaron pedazos de carbón para _____

4. Un sombrero de paja para _____

5. Susana le puso lentes de sol _____

6. Estaba vestido con _____

Completa las siguientes oraciones sobre la Bruja Vilma.

1. En una vieja casa destartalada vivía _____

2. Con ella vivía _____

3. Vilma adoraba hacer una poción especial _____

4. En su poción, Vilma ponía _____

5. Vilma movía su poción mientras _____

6. Su poción haría que _____

Objetivo: Completar oraciones sobre una figura.

# Writing Sentences

Add a beginning to each ending to make sentences about snow.

1. _____ began to fall from the sky.

2. _____ snowfall of the year.

3. _____ all over the ground.

4. _____ were all covered with snow.

5. _____ and made snow angels.

Add a beginning to each ending to make sentences about the children tobogganing.

1. _____ day in January.

2. _____ to Thunder Hill tobogganing.

3. _____ the toboggan and held onto each other tightly.

4. _____ down Thunder Hill.

5. _____ and fell off the toboggan into the deep fluffy snow.

Complete each sentence about autumn with a good beginning.

1. _____ turn orange, red and yellow in the autumn.

2. _____ their leaves in the autumn.

3. _____ football in the autumn.

4. _____ storing nuts in their holes on sunny days.

5. _____ fly south for the winter.

Skill: Completing Sentences with a Proper Beginning.

# Composición de oraciones

Añade un comienzo para cada final, para hacer oraciones que hablen de la "nieve".

1. _____ comenzó a caer desde el cielo.
2. _____ nieve del año.
3. _____ en todo el suelo.
4. _____ estaban completamente cubiertos de nieve.
5. _____ e hicieron ángeles de nieve.

Añade un comienzo para cada final, para hacer oraciones que hablen de niños jugando en trineos.

1. _____ día de enero.

2. _____ a las colinas de Thunder Hill.

3. _____ el trineo y se agarraron fuertemente unos de otros.

4. _____ por las colinas.

5. _____ y cayó el trineo en la nieve profunda y suave.

Completa cada oración que habla sobre el otoño con un buen comienzo.

1. _____ cambian de color a naranja, rojo y amarillo durante el otoño.

2. _____ sus hojas en el otoño.

3. _____ fútbol Americano en el otoño.

4. _____ guardando nueces en sus huecos en los días soleados.

5. _____ viajan al sur en el invierno.

Objetivo: Completar oraciones con un comienzo adecuado.

# Something to Begin

| |
|---|
| Here are some ending words. |
| Write a good beginning for each sentence. |

1. _____ ran up the maple tree.

2. _____ sat in the farmer's field waiting for Halloween.

3. _____ ran and quickly jumped into its hole.

4. _____ flying south for the winter.

5. _____ wore masks and costumes at the Halloween party.

6. _____ were certainly very juicy.

7. _____ were white with snow.

8. _____ when he saw the huge bear come lumbering out of the forest.

9. _____ my dog a new trick.

10. _____ on our Christmas tree.

11. _____ to go swimming in our neighbor's pool.

12. _____ my teeth after every time I eat a meal.

13. _____ with the dishes every night.

14. _____ in the forest today.

Skill: Completing Sentences with a Proper Beginning.

# Algo para comenzar

Aquí tienes algunas palabras finales.

Escribe un buen comienzo para cada oración.

1. _____ subió corriendo el árbol de arce.

2. _____ se sentó en el campo del granjero,
esperando el Día de Brujas.

3. _____ corrió y saltó rápidamente
hacia su hueco.

4. _____ volando al sur por el invierno.

5. _____ se pusieron máscaras y disfraces
en la fiesta del Día de Brujas.

6. _____ realmente estuvieron muy jugosas.

7. _____ estaban blancas con la nieve.

8. _____ cuando vio un enorme oso
saliendo del bosque.

9. _____ mi perro un truco nuevo.

10. _____ en nuestro árbol de Navidad.

11. _____ ir a nadar en la piscina de
nuestro vecino.

12. _____ mis dientes después de cada
comida.

13. _____ los platos todas las noches.

14. _____ hoy en el bosque.

Objetivo: Completar oraciones con un comienzo adecuado.

# Which word do I use?

A) Always use **is** when talking about one person or thing.

Always use **are** when talking about more than one person or thing.

Always use **are** with the word **you**.

B) Always use **was** when talking about one person or thing.

Always use **were** when talking about more than one person or thing.

Always use **were** with the word **you**.

Print the word **is, are, was** or the word **were** in each sentence.

1. The birds _____ flying south for the winter.

2. My job _____ to water the plants every day for my mother.

3. The girls _____ going outside to play a skipping game.

4. _____ you coming to my birthday party on Saturday?

5. The little bunny _____ hiding under the bush because he _____ afraid of the big owl.

6. Who _____ hiding under the empty basket?

7. _____ you watching the geese yesterday?

8. There _____ hundreds of them on the river.

9. They _____ getting ready to fly south for the winter.

10. One goose _____ the leader.

11. It _____ the first to fly.

12. The other geese _____ ready to follow him.

Skill: Using the words is, are, was and were correctly in sentences.

# ¿Qué palabra uso?

A) Usa **ser** cuando describas:

un lugar de origen un estado o condición

un material una nacionalidad

el lugar de un evento hora y tiempo

B) Usa **estar** cuando describas:

un lugar de origen formes oraciones progresivas con otros verbos

una emoción que puede variar una condición especial que puede variar

Usa la forma correcta de los verbos **ser** o **estar** en las siguientes oraciones.

1. Los pájaros _____ volando al sur por el invierno.

2. Mi trabajo _____ regar las plantas todos los días para ayudar a mi mamá.

3. Las niñas _____ yendo afuera para jugar.

4. ¿_____ viniendo a mi fiesta de cumpleaños el sábado?

5. ¿La hora? _____ las cuatro y veinte.

6. Pedro y Juan _____ excelentes jugadores de béisbol.

7. Mi mamá no _____ en la casa. Se fue a trabajar.

8. ¡Las flores del campo _____ preciosas!

9. ¿_____ listos para ir al parque?

10. Mi abuelo dice que yo _____ un buen niño.

11. ¿Cuántas personas _____ viniendo al paseo?

12. José _____ de México. Vino a pasar sus vacaciones a California.

Objetivo: Usar correctamente los verbos "ser" o "estar".

# Which word do I use?

A) | Saw does not need a helping word.

Seen does need a helping word such as **have**, **had** and **has**.

Print the word **saw** or the word **seen** in each sentence:

1. I _____ a funny clown at the circus yesterday.

2. He was not the same one that I have _____ on television.

3. If you had _____ him, you would have laughed at him.

4. My grandfather said he has not _____ a funnier clown.

5. The people _____ him riding around in a funny little car.

6. My father has never _____ a circus clown before.

B) | Came does not need a helping word.

Come does need a helping word sometimes such as **have**, **had** and **has**.

Print the word **come** or the word **came** in each sentence:

1. Mrs. Rabbit and her bunnies have _____ a long way to their new home in the forest.

2. They _____ from the city park in Kansas City.

3. The family have _____ to find a safe place to live.

4. All the animals in the forest _____ out to welcome them.

5. "Why have you _____ to our forest?" asked Old Mr. Owl.

6. "We have _____ to get away from people who hurt us," said Mrs. Rabbit.

Skill: Using the words saw, seen, come and came correctly.

# ¿Qué palabra uso?

**A)** Las formas pasadas de los verbos no necesitan palabras auxiliares. El pasado del verbo "ver" **vi, viste, vio, vimos, vieron,** no necesita un auxiliar.

**Visto** es un participio y sí necesita un auxiliar, que es el verbo "haber". Sus formas presentes son: he, has, ha, hemos, han; sus formas pasadas son había, habías, habíamos, habían.

Conjuga correctamente el verbo "**ver**" en las siguientes oraciones:

1. Ayer yo _____ un payaso muy gracioso en el circo.
2. No era el mismo que yo había _____ en la televisión.
3. Si lo hubieras _____, te hubieras reído.
4. Mi abuelo dijo que nunca había _____ un payaso tan gracioso.
5. La gente lo _____ manejando un simpático carrito por todas partes.
6. Mi papá nunca antes había _____ un payaso de circo.

**B)** Las formas pasadas de los verbos no necesitan palabras auxiliares. El pasado del verbo "venir" **vine, viniste, vino, vinimos, vinieron,** no necesita un auxiliar.

**Venido** es un participio y sí necesita un auxiliar, que es el verbo "haber". Sus formas presentes son: he, has, ha, hemos, han; sus formas pasadas son había, habías, habíamos, habían.

Conjuga correctamente el verbo "**venir**" en las siguientes oraciones:

1. La Sra. Conejo y sus conejitos habían _____ por un largo trecho para llegar a su casa en el bosque.
2. Ellos _____ de un parque de la ciudad de Kansas.
3. La familia había _____ a este nuevo lugar para encontrar un lugar seguro donde vivir.
4. Todos los animales del bosque _____ a darles la bienvenida.
5. ¿Por qué han _____ a nuestro bosque?", preguntó el viejo Sr. Búho.
6. "Hemos _____ para escapar de la gente que puede hacernos daño", respondió la Sra. Conejo.

Objetivo: Conjugar los verbos "ver" y "venir" correctamente.

# Which word do I use?

A) | **Did** does not need a helping word.
    | **Done** does need a helping word such as **have, had** and **has.**

Print the word **did** or the word **done** in each sentence:

1. When Father Mouse saw the owl, he _____ not wait.

2. The baby mice _____ exactly what Father Mouse _____.

3. The mice _____ not stop until they were safely hidden under the bushes.

4. "You have _____ well," said Father Mouse to the baby mice.

5. Father Mouse has _____ this many times to escape the sharp claws of the owl.

6. The baby mice decided they had _____ enough playing for one day and went to bed.

B) | **Went** does not need a helping word.
    | **Gone** does need a helping word such as **have, had** and **has.**

Print the word **went** or the word **gone** in each sentence:

1. Danny Dragon's mother had _____ to the store.

2. She has been _____ for a long time.

3. Danny _____ everywhere in the neighborhood looking for her.

4. "Where has my mother _____?" wailed Danny.

5. Danny _____ up and down every street calling for his mother.

6. "Don't cry Danny," said Mrs. Dragon. "I am sorry that I have been _____ so long."

Skill: Using the words did, done, went and gone correctly.

# ¿Qué palabra uso?

**A)** | Las formas pasadas de los verbos no necesitan palabras auxiliares. El pasado del verbo "hacer" **hice, hiciste, hizo, hicimos, hicieron**, no necesita un auxiliar.

**Hecho** es un participio y sí necesita un auxiliar, que es el verbo "haber". Sus formas presentes son: he, has, ha, hemos, han; sus formas pasadas son había, habías, habíamos, habían.

Conjuga correctamente el verbo "**hacer**" en las siguientes oraciones:

1. Cuando Papá Ratón vio a la lechuza, _____ lo que tenía que hacer.
2. Los ratoncitos _____ exactamente lo que _____ su padre.
3. Los ratones no se detuvieron, e _____ lo mismo hasta que llegaron a un lugar escondido y seguro debajo de unos arbustos.
4. "Lo han _____ muy bien", dijo Papá Ratón a los ratoncitos.
5. Papá Ratón había _____ esto muchas veces para escapar de las afiladas garras de la lechuza.
6. Los ratoncitos decidieron que habían _____ mucho por un día y se fueron a dormir.

**B)** | Las formas pasadas de los verbos no necesitan palabras auxiliares. El pasado del verbo "ir" **fui, fuiste, fue, fuimos, fueron**, no necesita un auxiliar.

**Ido** es un participio y sí necesita un auxiliar, que es el verbo "haber". Sus formas presentes son: he, has, ha, hemos, han; sus formas pasadas son había, habías, habíamos, habían.

Conjuga correctamente el verbo "**ir**" en las siguientes oraciones:

1. La mamá del Dragón Daniel había _____ a la tienda.
2. Se había _____ ya por un largo rato.
3. Daniel _____ por todas partes buscando a su mamá en el vecindario.
4. ¿Dónde se ha _____ mi mamá?, sollozó Daniel.
5. Daniel _____ de arriba a abajo en todas las calles llamando a su mamá.
6. "No llores, Daniel", dijo la Sra. Dragón. "Lamento mucho haberme _____ por tanto tiempo.

Objetivo: Conjugar los verbos "hacer" e "ir" correctamente.

# Which word do I use?

**A)** | **Ran** does not need a helping word.

**Run** needs a helping word sometimes such as **have**, **had** and **has**.

Print the word **ran** or the word **run** in each sentence:

1. On our Play Day I _____ in two races and came first in both.

2. I have _____ in the different types of races at many picnics.

3. Many times I have _____ all the way home from school.

4. The children quickly _____ away from the smelly spray of the skunk.

5. The dog had _____ around the house twice looking for the cat.

6. The black horse has _____ the fastest in every race.

**B)** | **Ate** does not need a helping word.

**Eaten** needs a helping word such as **have**, **had** and **has**.

Print the word **ate** or the word **eaten** in each sentence:

1. I have _____ many different flavors of ice cream.

2. Yesterday I _____ two ham and cheese sandwiches for my lunch.

3. I had never _____ spinach before.

4. What kinds of desserts have you _____?

5. Our cat has _____ every goldfish that we have bought for a pet.

6. At the party we _____ hotdogs and hamburgers.

**Skill:** Using the words ran, run, ate and eaten correctly.

# ¿Qué palabra uso?

**A)** Las formas pasadas de los verbos no necesitan palabras auxiliares. El pasado del verbo "correr" **corrí, corriste, corrió, corrimos, corrieron,** no necesita un auxiliar.

**Corrido** es un participio y sí necesita un auxiliar, que es el verbo "haber". Sus formas presentes son: he, has, ha, hemos, han; sus formas pasadas son había, habías, habíamos, habían.

Conjuga correctamente el verbo "**correr**" en las siguientes oraciones:

1. En nuestro Día de Juegos, yo _____ en dos carreras y gané las dos.
2. He _____ en diferentes tipos de carreras en muchos paseos.
3. Muchas veces también he _____ desde la escuela a mi casa.
4. Los niños _____ rápidamente del mal olor que despide el zorrillo.
5. El perro había _____ alrededor de la casa dos veces, buscando al gato.
6. El caballo negro _____ rápido en todas las carreras.

**B)** Las formas pasadas de los verbos no necesitan palabras auxiliares. El pasado del verbo "comer" **comí, comiste, comió, comimos, comieron,** no necesita un auxiliar.

**Comido** es un participio y sí necesita un auxiliar, que es el verbo "haber". Sus formas presentes son: he, has, ha, hemos, han; sus formas pasadas son había, habías, habíamos, habían.

Conjuga correctamente el verbo "**comer**" en las siguientes oraciones:

1. He _____ diferentes tipos de helado.
2. Ayer me _____ dos emparedados de jamón y queso en el almuerzo.
3. Nunca en mi vida he _____ espinaca.
4. ¿Qué clase de postres has _____?
5. Nuestro gato se ha _____ cada pececito que hemos traído de mascota.
6. En la fiesta, nosotros _____ emparedados y hamburguesas.

Objetivo: Conjugar los verbos "correr" y "comer" correctamente.

# Which word do I use?

A) | **May** means to have or give permission.
**Can** means to be able to do something.

Print the word **may** or **can** in each sentence:

1. "Mother _____ I have a cookie, please?" asked Josh.
2. Jack, _____ you lift that heavy box of books for me?
3. "_____ I borrow your crayons, Peter?" asked Carol.
4. The boy _____ play the piano very well.
5. If you try hard, you _____ figure it out for yourself.
6. You _____ go outside to play with your friends now.
7. The children in my class _____ spell very well.
8. _____ I go to the library to return this book?

B) | **Gave** does not need a helping word.
**Given** needs a helping word such as **have**, **had**, and **has**.

Print the word **gave** or **given** in each sentence:

1. Our neighbor has _____ us many useful things.
2. Who _____ the banana to the monkey?
3. We have _____ roses to our mother for her birthday.
4. Peter had _____ the goat some apples last week.
5. Our teacher _____ us a treat for Halloween.
6. Mother has _____ away all of our old clothes.
7. Everyone in the class _____ food to be sent to people living in poor countries.
8. I have _____ an invitation to all of my friends inviting them to my birthday party.

Skill: Using the words may, can, give, given correctly.

# ¿Qué palabra uso?

**Poder** significa pedir permiso para algo o tener la capacidad de hacer algo.

**Deber** significa obligación de hacer algo.

Escribe los verbos **poder** o **deber** según corresponda, conjugándolos adecuadamente.

1. Mamá, ¿Me _____ comer una galleta, por favor?, preguntó Jorge.
2. Yo _____ hacer mi tarea para estar preparado en el examen.
3. Pedro, ¿Me _____ prestar tus crayones?
4. Las personas _____ respetar la naturaleza y mantener el ambiente limpio.
5. Los niños _____ llegar a clase temprano.
6. Ya _____ salir a jugar con tus amigos.
7. Los niños de mi clase _____ escribir muy bien.
8. Eduardo no _____ pegarle al gato.

**B)** Las formas pasadas de los verbos no necesitan palabras auxiliares. El pasado del verbo "dar" **di, diste, dio, dimos, dieron**, no necesita un auxiliar.

**Dado** es un participio y sí necesita un auxiliar, que es el verbo "haber". Sus formas presentes son: he, has, ha, hemos, han; sus formas pasadas son había, habías, habíamos, habían.

Conjuga correctamente el verbo "dar" en las siguientes oraciones:

1. Nuestro vecino nos ha _____ muchas cosas valiosas.
2. ¿Quién le _____ el plátano al mono?
3. Nosotros le _____ rosas a mi madre por su cumpleaños.
4. La semana pasada, Pedro le _____ algunas manzanas a la cabra.
5. Nuestro profesor nos _____ golosinas por el Día de las Brujas.
6. Mi mamá _____ nuestra ropa usada a personas necesitadas.
7. Todos los alumnos de mi clase _____ comida para ser enviada a gente que vive en países pobres.
8. ¿Cuántos caramelos me has _____?

Objetivo: Usar y conjugar los verbos "poder", "deber" y "dar" correctamente.

# Which word will I use?

**A)** Use **this** or **that** when pointing out one person or thing.

Use **these** and **those** when you are speaking of more than one thing.

Never use **them** to point out things.

**Underline** the correct word in the brackets.

1. (**This, These, Them**) trees are so big and beautiful.

2. (**This, These, Those**) apple is smaller than the rest of the apples in the bowl.

3. I'll race you to (**those, them, these**) boys standing by the wall.

4. Suddenly Susan asked, "What is (**those, them, that**) terrible noise?"

5. I do believe (**this, those, them**) are my new red mittens.

6. (**This, Them, These**) is the correct road to take in order to get home.

7. (**This, Those, These**) boys sitting on the park bench are the ones who stole my bicycle.

8. (**This, That**) red pencil is mine and (**this, that**) blue pencil is yours.

**B)** **An** is used before a word that begins with a vowel sound.
**Example:** an apple

**A** is used before a word that begins with a consonoant.
**Example:** a ball

**Print** the words **a** and **an** on the correct lines in each sentence.

1. Did you bring _____ umbrella and _____ raincoat?

2. Mother made _____ cake and _____ apple pie.

3. The squirrel made _____ nest in _____ oak tree.

4. _____ elephant is _____ interesting animal.

5. For lunch Mary ate _____ egg sandwich, _____ muffin, _____ tart and _____ apple.

6. Tim ate _____ olive and ham sandwich, _____ cookie, _____ cupcake and _____ orange.

Skill: Using words this, that, these, those, a and an correctly.

# ¿Qué palabra uso?

**A)** Usa **este/esta** o **ese/esa** cuando señales a una persona o una cosa.

Use **estos/estas** o **esos/esas** cuando hables de más de una cosa.

Nunca uses **él/ella** o **ellos/ella** para señalar cosas.

Dentro de los paréntesis, **subraya** la palabra correcta.

1. (**Este, Estos, Ellos**) árboles son muy grandes y hermosos.
2. (**Esta, Estas, Esas**) manzana es más pequeña que el resto de las manzanas del plato.
3. Te hago una carrera hasta (**esos, ellos, estos**) niños que están parados al lado de la pared.
4. De pronto, Susana preguntó "¿Qué es (**esos, ellos, ese**) ruido tan fuerte?"
5. Creo que (**este, estos, ellos**) son mis nuevos mitones rojos.
6. (**Este, Ellos, Esos**) es el camino correcto para llegar a casa.
7. (**Este, Esos, Estos**) niños que están sentados en la banca del parque son los que robaron mi bicicleta.
8. (**Este, Ese**) lápiz rojo es mío y (**ese, este**) azul es tuyo.

**B)** El artículo indeterminado **un, unos, una, unas** se usa cuando el sustantivo del que se habla no es conocido.
**Ejemplo:** **Unos** perros correteaban a **un** gato.

El artículo determinado **el, la, lo, las**, se usa cuando el sustantivo del que se habla es conocido.
**Ejemplo:** **La** cartera de mi mamá.

Escribe el artículo indeterminado (**un, una, unos, unas**) o determinado (**el, la, los, las**) según corresponda.

1. Mi tío es _____ maestro muy exigente.
2. Por lo menos había _____ veinte personas esperando el bus.
3. Mi color favorito es _____ rojo.
4. ¡Mmmm! ¡_____ galletas están deliciosas!
5. No sabía que _____ Sr. Rodríguez estaba de viaje.
6. Encontré _____ lápices que puedes usar para hacer tu tarea.

Objetivo: Usar artículos demostrativos y artículos determinados e indeterminados.

# Which words do I use?

**A)**

Wrote does not need a helping word.

Written needs a helping word such as **have**, **had** and **has** most of the time.

Print the word **wrote** or **written** in each sentence:

1. Many good books have been _____ about dogs.

2. Francis H. Burnett _____ a book called "The Secret Garden".

3. Few letters were _____ on our trip to England.

4. Who _____ the book called "Tom Sawyer"?

5. Phoebe Gilman has _____ and illustrated many picture books.

6. Robert Munsch has _____ many funny story books for children.

7. Have you _____ a letter to your grandparents lately?

8. Trisha _____ in her diary every day after school.

**B)**

Broke does not need a helping word.

Broken does need a helping word such as **has**, **had**, and **have** most of the time.

Print the word **broke** or **broken** in each sentence:

1. Billy has _____ all of his new toys.

2. Our car _____ down on the ocean highway.

3. The terrible rainstorm had _____ branches from the apple trees.

4. The wheel on the wagon had _____ while we traveled over the rough road.

5. The windows in the old house have been _____ for a long time.

6. "Who _____ my glass ball?" wailed Anna.

7. When Charles fell out of the tree he _____ his arm.

8. Someone has _____ Mother's favorite china dish!

Skill: Using the words wrote, written, broke and broken correctly.

# ¿Qué palabras uso?

**A)** Las formas pasadas de los verbos no necesitan palabras auxiliares. El pasado del verbo "escribir" **escribí, escribiste, escribió, escribimos, escribieron**, no necesita un auxiliar.

**Escrito** es un participio y sí necesita un auxiliar, que es el verbo "haber". Sus formas presentes son: he, has, ha, hemos, han; sus formas pasadas son había, habías, habíamos, habían.

Conjuga correctamente el verbo "**escribir**" en las siguientes oraciones:

1. Se ha _____ muchas historias bonitas sobre mascotas.
2. Francis H. Burnett _____ el libro titulado "El Jardín Secreto".
3. Nosotros _____ pocas cartas mientras estuvimos en Inglaterra.
4. ¿Quién _____ el libro llamado "Tom Sawyer"?
5. Phoebe Gilman ha _____ e ilustrado muchos libros de figuras.
6. Robert Munsch ha _____ muchos cuentos para niños.
7. ¿Has _____ alguna carta a tus abuelos últimamente?
8. Teresa _____ en su diario todos los días al llegar de la escuela.

**B)** Las formas pasadas de los verbos no necesitan palabras auxiliares. El pasado del verbo "romper" **rompí, rompiste, rompió, rompimos, rompieron**, no necesita un auxiliar.

**Roto** es un participio y sí necesita un auxiliar, que es el verbo "haber". Sus formas presentes son: he, has, ha, hemos, han; sus formas pasadas son había, habías, habíamos, habían.

Conjuga correctamente el verbo "**romper**" en las siguientes oraciones:

1. Felipe ha _____ todos sus juguetes nuevos.
2. El florero se _____ al caerse cuando limpiábamos la casa.
3. La terrible tempestad había _____ las ramas de los manzanos.
4. La rueda del vagón se _____ mientras viajábamos por el camino escarpado.
5. El portón de mi casa ha estado _____ por un buen tiempo.
6. ¿Quién _____ mi bola de cristal?, sollozó Ana.
7. Carlos se _____ el brazo cuando se cayó del árbol.
8. ¡Alguien ha _____ un plato de la vajilla china favorita de mamá!

Objetivo: Conjugar los verbos "escribir" y "romper" correctamente.

# Sequencing Word Groups to Make Sentences

Here are some word groups.

If they are **printed** in the **correct order**, you will be able to make sentences about the story called Jack and the Beanstalk.

1. a boy named Jack / there was / Once upon a time

   _____

2. with his mother /  in a small cottage /  He lived

   _____

3. to sell / to take the cow / Jack had / to the market

   _____

4. to a man / Jack sold / for some magic beans / the cow

   _____

5. out of the window / Jack's mother / and threw them / siezed the beans

   _____

6. a huge beanstalk / stood in the garden / The next morning

   _____

7. all the way / to climb the beanstalk / Jack decided / to the top

   _____

8. to a beautiful castle / Jack followed / that led / a road

   _____

9. a giant lived / The old woman / in the castle / told Jack that

   _____

10. in the oven / Jack hid / the giant's voice / when he heard

   _____

Skill: Using word groups to write sentences.

# Haciendo secuencias de palabras para formar oraciones

Aquí tienes algunos grupos de palabras.

Si se **escriben** en el **orden correcto**, podrás hacer oraciones que hablen sobre el cuento llamado "Juanito y las Cinco Judías".

1. un niño llamado Juanito / vez / Había una

   _____

2. con su madre / en una pequeña casita / Juanito vivía

   _____

3. para venderla / llevar la vaca / Juanito tuvo que / al mercado

   _____

4. a un hombre / Juanito le vendió / a cambio de unas judías mágicas / la vaca

   _____

5. por la ventana / La madre de Juanito / y las tiró / vio las judías

   _____

6. una enorme planta / había crecido en el jardín / La mañana siguiente

   _____

7. trepar / de la planta / Juanito decidió / hasta lo más alto

   _____

8. a un hermoso castillo / Juanito siguió trepando / que lo conducía / hasta que encontró un camino

   _____

9. un gigante vivía / La anciana / en el castillo / le dijo a Juanito que

   _____

10. en el horno / Juanito se escondió / la voz del gigante / cuando escuchó

    _____

Objetivo: Usar grupos de palabras para escribir oraciones.

# Sequencing Words to Make Sentences

North America is a large continent.

Write sentences about North America.

**Organize** the words in each group into a **good** sentence.

1. is of North made up America countries three

   _____

2. Mexico countries are Canada The and found United States North in America

   _____

   _____

3. is in northern the part Canada found

   _____

4. United States the middle of it sits The in

   _____

5. the Mexico found is southern in part

   _____

6. North America In parts some there of are and mountains deserts

   _____

   _____

7. North America were The people to live first Inuit the Native People and

   _____

   _____

8. Atlantic is its The on coast east Ocean

   _____

9. parts Some North America of very are cold

   _____

10. Ocean found Pacific is the on The coast west

    _____

Skill: Organizing words into sentences.

# Haciendo secuencias de palabras para formar oraciones

América del Norte es un continente inmenso.

Escribe oraciones acerca de América del Norte.

**Organiza** las palabras de cada grupo en una **buena** oración.

1. está por Norte compuesta del América países tres

2. México países se Canadá son Los y encuentran que Estados Unidos Norte en del América

3. se en norte la parte Canadá encuentra

4. Estados Unidos medio el está en

5. la México encuentra se sur en parte

6. Norte del América En partes algunas hay y montañas desiertos de

7. América del Norte fueron Los pueblos que vivieron primeros Inuit los Nativos y en los

8. Atlántico está la El en costa este Océano

9. partes Algunas América del Norte de muy son frías

10. Océano encuentra Pacífico se la en El costa oeste

Objetivo: Organizar palabras en oraciones.

# Writing Longer Sentences

## Two - In - One

Most of the time we use **short** sentences when we write.

Sometimes it is better to use **longer** sentences.

**Example:**  Some bears dig long holes. (*Short Sentence*)
They dig the holes under the ground. (*Short Sentence*)
**Some bears dig long holes under the ground.** (*Longer Sentence*)

Join each pair of short sentences into one longer sentence.

1. Beavers have sharp teeth.  Their teeth are strong.

   _____

2. The cardinal is a red bird.  It is pretty.

   _____

3. Porcupines have sharp quills.  The quills are in their tails.

   _____

4. Polar bears have warm coats.  Their coats are fur.

   _____

5. Squirrels eat nuts in the winter.  They eat seeds too.

   _____

6. The woodpecker drills holes with its beak.  Its beak is sharp.

   _____

   _____

7. Muskrats build their homes.  They build them with sticks, leaves and roots.

   _____

   _____

8. The giraffe is a tall animal.  It is the tallest animal in the world.

   _____

   _____

9. A rabbit lives in a hole.  It lives deep under the ground.

   _____

   _____

10. Many cows live in the barn during the winter.  Horses live there too.

    _____

    _____

Skill: Combining two sentences into one sentence.

# Escribiendo oraciones largas

## Dos en una

La mayoría de las veces usamos oraciones **cortas** cuando escribimos. Sin embargo, algunas veces es mejor usar oraciones **largas**.

Ejemplo:    Algunos osos cavan grandes agujeros. (Oración corta)
Los osos cavan agujeros bajo la tierra. (Oración corta)
**Algunos osos cavan grandes agujeros bajo la tierra.** (Oración larga)

Une cada par de oraciones cortas para hacer una oración larga.

1. Los castores tienen dientes muy filudos.  Sus dientes son fuertes.

   _____

2. El cardenal es un pájaro de color rojo.  Es muy bonito.

   _____

3. Los puercoespines tienen púas puntiagudas.  Las púas están en sus colas.

   _____

4. Los osos polares tienen piel caliente.  Su piel está cubierta de pelo.

   _____

5. Las ardillas comen nueces en el invierno.  También comen semillas.

   _____

6. El pájaro carpintero hace orificios en los árboles con su pico.  Su pico es puntiagudo.

   _____

   _____

7. Las almizcleras construyen sus propias casas.  Las construyen con paja, hojas y raíces.

   _____

   _____

8. La jirafa es un animal alto.  Es el animal más alto del mundo.

   _____

   _____

9. Los conejos viven en agujeros.  Viven muy profundo debajo de la tierra.

   _____

   _____

10. Las vacas viven en el granero durante el invierno.  Los caballos viven allí también.

    _____

    _____

Objetivo: Combinar dos oraciones en una sola.

# Writing Longer Sentences

## Three – in – One

Usually we write short sentences about things.
Sometimes it is better to use **longer** ones.

**Example:**   I have a new toboggan.
My father and mother gave it to me.
It is green.

***My father and mother gave me a new green toboggan.***

How would you make one sentence out of each group?  Do not use the word "and".

1.  My mother made me a dress.  It was pretty.  It was pale yellow.

    _____

2.  I have a dog.  He is smart.  My dog does tricks.

    _____

3.  I saw tracks in the snow.  They were made by a squirrel.  They were all around our back door.

    _____

4.  On Saturday I played hopscotch.  I played with Maria.  We played on our driveway.

    _____

5.  We walked through the woodlot.  We found some trilliums.  They were white.

    _____

6.  We saw a clown.  He was funny.  He was riding a little bike.

    _____

7.  I went skating.  I went on the pond.  I went with Katie.

    _____

8.  Lisa has a pony.  His name is Star.  He likes to eat apples.

    _____

Skill: Writing Longer sentences using shorter sentences.

# Escribiendo oraciones largas

## Tres en una

Usualmente escribimos oraciones cortas acerca de cosas.
Algunas veces es mejor usar oraciones largas.

Ejemplo:   Tengo un tobogán nuevo.
Mi padre y mi madre me lo regalaron.
Es de color verde.

*Mi padre y mi madre me regalaron un tobogán nuevo de color verde.*

¿Cómo unirías las siguientes oraciones para hacer una sola oración larga?
No uses la palabra "y".

1.  Mi mamá me hizo un vestido.  Es muy bonito.  Es de color amarillo pálido.
_____
_____

2.  Tengo un perro.  Es inteligente.  Mi perro hace trucos.
_____

3.  Vi huellas en la nieve.  Las hizo una ardilla.  Hay muchas ardillas por la puerta trasera de nuestra casa.
_____
_____

4.  El sábado jugué al avión.  Jugué con María.  Jugamos en la entrada de mi casa.
_____
_____

5.  Caminábamos por el bosque.  Vimos algunas mariposas.  Eran de colores.
_____
_____

6.  Vimos un payaso.  Era gracioso.  Manejaba una bicicleta diminuta.
_____
_____

7.  Fui a patinar.  Fui al estanque.  Fui con Sara.
_____
_____

8.  Silvia tiene una potra.  Se llama Estrella.  Le gusta comer manzanas.
_____
_____

Objetivo: Escribir oraciones largas usando oraciones cortas.

# What is a Question?

A sentence that asks something may be called an **asking sentence** or a **question**.

It begins with a **capital letter** and ends with a **question mark** (?).

**Example:** Who met the mail carrier at the door?

**Circle** the sentences below that are questions.

1. Why were the children so excited when they watched the parade?

2. We walk on the sidewalks in a town or a city.

3. Why should you not ride your bicycle on the sidewalks?

4. Where do the birds fly to in the autumn?

5. When the farmer ploughed the ground the worms came up out of their homes.

6. Did you write a letter to Santa Claus this year?

7. Why was Jack sad at the first of the story?

8. I helped my grandfather to pick apples in his apple orchard.

9. Why were Cinderella's stepsisters ashamed of themselves?

10. Our dog was barking and running along the fence after the rabbit.

Write **three questions** on the lines provided.

_____

_____

_____

Write **three sentences** on the lines provided.

_____

_____

_____

Skill: Classifying sentences as telling sentences or questions.

# ¿Qué es una pregunta?

Una pregunta es una oración que pregunta sobre algo. También se le conoce como **oración interrogativa.**

Las preguntas comienzan con un signo de interrogación (¿) que abre la pregunta, seguido de una letra mayúscula y termina con un signo de interrogación (?) que cierra la pregunta.

**Ejemplo:** ¿Quién recibió al cartero en la puerta?

**Encierra en un círculo** las oraciones que son preguntas.

1. ¿Por qué los niños estaban tan entusiasmados cuando miraban la parada?

2. Debemos caminar en las vías peatonales de un pueblo o una ciudad.

3. ¿Por qué no debes manejar tu bicicleta en las vías peatonales?

4. ¿A dónde viajan las aves en el otoño?

5. Cuando el granjero aró la tierra, los gusanos salieron de sus escondrijos.

6. ¿Le escribiste una carta a Santa Claus este año?

7. ¿Por qué Juanito estaba triste al principio de la historia?

8. Ayer ayudé a mi abuelo a recolectar manzanas en su huerto de manzanos.

9. ¿Por qué las hermanas de la Cenicienta estaban avergonzadas de ellas mismas?

10. Nuestro perro iba ladrando y corriendo a lo largo de la cerca persiguiendo a un conejo.

Escribe **tres preguntas** en las líneas en blanco.

_____

_____

_____

Escribe **tres oraciones** en las líneas en blanco.

_____

_____

_____

Objetivo: Clasificar oraciones como enunciativas o interrogativas.

# Writing Questions

Write **three** good questions about each picture in the box.
Remember to use a **capital letter** at the beginning of each one and a
**question mark (?)** at the end.

1. _____

_____

2. _____

_____

3. _____

_____

1. _____

_____

2. _____

_____

3. _____

_____

1. _____

_____

2. _____

_____

3. _____

_____

1. _____

_____

2. _____

_____

3. _____

_____

Skill: Writing good questions about a picture.

# Escribiendo preguntas

Escribe **tres** buenas preguntas acerca de las figuras que vez en los recuadros. No olvides usar el **signo de interrogación que abre la pregunta (¿)** seguido de una **mayúscula** y el **signo de interrogación que cierra la pregunta (?)** al final.

1. _____

2. _____

3. _____

1. _____

2. _____

3. _____

1. _____

2. _____

3. _____

1. _____

2. _____

3. _____

Objetivo: Escribir buenas preguntas acerca de una figura.

# What is an exclamatory sentence?

An **exclamatory** sentence expresses excitement or strong feelings.

It ends with an **exclamation mark (!)**.

Examples:  What a shame it is that we lost the game!
My, but your bunny has long ears!

Circle each sentence below that is an **exclamatory** sentence.

1. What a long way you have traveled!

2. How many pilots are there in an airplane?

3. What is the name of the poem that you wrote?

4. Two little pigs were running up and down in the mud.

5. What a surprise the shoemaker got the next morning!

6. What a roaring sound I can hear in the seashell!

7. I've won first prize in the handwriting contest!

8. How dangerous are the snakes with black spots?

9. "A snake! A snake!" she cried.  "Run, John, run!"

10. Mary and John dropped their flowers and ran home.

Write **four** exclamatory sentences on the lines provided.

_____

_____

_____

_____

_____

_____

Skill: Recognizing exclamatory sentences.

# ¿Qué es una oración exclamativa?

Una oración **exclamativa** expresa emoción o sentimientos fuertes.

Al principio de la oración exclamativa, se coloca un **signo de admiración que abre la oración exclamativa (¡)** y al final se coloca un **signo de admiración que cierra la oración exclamativa (!)**

Ejemplos:    ¡Qué pena que perdieron el juego!
             ¡Dios mío, qué orejas tan grandes tiene tu conejo!

Encierra en un círculo las oraciones de abajo que sean oraciones **exclamativas**.

1.  ¡Qué viaje tan largo hicieron!

2.  ¿Cuántos pilotos hay en un avión?

3.  ¿Cuál es el título del poema que escribiste?

4.  Dos cerditos corrían de arriba a abajo en el lodo.

5.  ¡Qué sorpresa se llevó el zapatero al día siguiente!

6.  ¡Qué ruido más curioso escucho en la concha de mar!

7.  ¡Obtuve el primer lugar en el concurso de caligrafía!

8.  ¿Qué tan peligrosas son las serpientes con manchas negras?

9.  "¡Una serpiente! ¡Una serpiente!", gritó.  "¡Corre, Juan, corre!"

10. María y Juan soltaron sus flores y corrieron a casa.

   Escribe **cuatro** oraciones exclamativas en las líneas de abajo.

_____

_____

_____

_____

_____

Objetivo: Reconocer oraciones exclamativas.

# Writing Exclamatory Sentences

Write **exclamatory sentences** about the pictures using each pair of words in your sentences. Remember the **capital letter** and the **exclamation mark**.

1. (circus, clown) _____

_____

2. (people, laughing) _____

_____

3. (tricks, laugh) _____

_____

1. (boy, blew) _____

_____

2. (bang, bubble) _____

_____

3. (gum, juicy) _____

_____

1. (ghost, look) _____

_____

2. (shouted, boo) _____

_____

3. (window, haunted) _____

_____

1. (haunted, house) _____

_____

2. (scary, witch) _____

_____

3. (bats, spiders) _____

_____

Skill: Writing exclamatory sentences.

# Escribiendo oraciones exclamativas

Escribe **oraciones exclamativas** que hablen sobre las figuras de los recuadros usando las palabras que se te da entre paréntesis.  No olvides usar los **signos de admiración** al principio y al final de la oración y empezar la oración con letra mayúscula.

1. (circo, payaso) _____

_____

2. (gente, riéndose) _____

_____

3. (trucos, riéndose) _____

_____

1. (niño, soplar) _____

_____

2. (reventó, globo) _____

_____

3. (goma, jugosa) _____

_____

1. (fantasma, vi) _____

_____

2. (gritó, buuu) _____

_____

3. (ventana, encantada) _____

_____

1. (encantada, casa) _____

_____

2. (da miedo, bruja) _____

_____

3. (murciélagos, arañas) _____

_____

Objetivo: Escribir oraciones exclamativas.

# What is a command sentence?

Sentences that tell you to do something or that give an order are called **command** sentences. Note that a command may be expressed politely by using the word "please".

**Example:** Please open the door, John.

Circle each sentence below that is a command sentence.

1. Move along quietly, boys and girls, and keep to the right of the hall.

2. On Christmas Eve, Santa was too sick to deliver his presents.

3. Why did the children throw the pumpkins over the fence?

4. Please stop the talking in the hall.

5. You are to eat all of your vegetables on your plate.

6. Father is talking to someone on the telephone.

7. Don't eat the chocolate chip cookies.

8. Where do the crows build their nests?

9. Look at all the fluffy snowflakes!

10. Please hold the baby carefully while you walk down the stairs.

Write **three** command sentences on the lines provided.

_____

_____

_____

_____

_____

Skill: Recognizing Command Sentences.

# ¿Qué es una oración imperativa?

Las oraciones que nos dicen que debemos hacer algo o que nos dan una orden se llaman oraciones **imperativas**. Toma nota que una orden u oración imperativa puede expresarse amablemente usando la palabra "por favor".

**Ejemplo:** Juan, por favor abre la puerta.

Encierra en un círculo las oraciones que son una oración imperativa.

1. Caminen despacio, niños, y mantengan su derecha al pasar por el pasadizo.

2. En la víspera de Navidad, Santa Claus estaba demasiado enfermo para dejar los regalos.

3. ¿Por qué los niños tiraron las calabazas sobre el cerco?

4. Por favor no hablen en el pasadizo.

5. Tienes que comerte todos los vegetales de tu plato.

6. Papá está hablando por teléfono con alguien.

7. No comas galletas de chocolate.

8. ¿Dónde construyen sus nidos los cuervos?

9. ¡Mira todos los copitos de nieve!

10. Por favor sostén con cuidado al bebé mientras bajas las escaleras.

Escribe **tres** oraciones imperativas en las líneas de abajo.

_____

_____

_____

_____

_____

Objetivo: Reconocer oraciones imperativas.

# Writing Command Sentences

Write a command sentence for each picture.  Remember a command sentence tells you to do something or gives an order.

1. Write a command sentence for riding on a school bus.

   _____

   _____

2. Write a command sentence for riding in a car.

   _____

   _____

3. Write a command sentence for taking care of your teeth.

   _____

   _____

4. Write a command sentence about playing with matches.

   _____

   _____

5. Write a command sentence about using scissors.

   _____

   _____

6. Write a command sentence used at school.

   _____

   _____

7. Write a command sentence about swimming.

   _____

   _____

Skill: Writing Command Sentences.

# Escribiendo oraciones imperativas

Escribe una oración imperativa relacionada con cada figura.  Recuerda que una oración imperativa te dice algo que tienes que hacer o te da una orden.

1.  Escribe una oración imperativa respecto a cómo viajar en el bus escolar.

    _____

    _____

2.  Escribe una oración imperativa respecto a cómo viajar en un auto.

    _____

    _____

3.  Escribe una oración imperativa respecto a cómo cuidar tus dientes.

    _____

    _____

4.  Escribe una oración imperativa respecto a jugar con cerillas.

    _____

    _____

5.  Escribe una oración imperativa respecto a cómo usar las tijeras.

    _____

    _____

6.  Escribe una oración imperativa que se use en la escuela.

    _____

    _____

7.  Escribe una oración imperativa respecto a nadar.

    _____

    _____

Objetivo: Escribir oraciones imperativas.

# What kind of sentence is it?

There are four kinds of sentences.
There are **telling** sentences, **command** sentences,
**exclamatory** sentences and **question** sentences.

On the line at the end of each sentence print the type of sentence it is.

| telling, command, exclamatory, question |
|---|

1. What would you like for breakfast? _____

2. Leave your boots by the back door, please. _____

3. The tiny hummingbird gets nectar from flowers with its long bill.
_____

4. What a pretty dress you are wearing! _____

5. Make your bed right away, please. _____

6. Do you like to read books about outer space? _____

7. How happy I was to win the first prize! _____

8. Please bring me a glass of water. _____

9. It was dark when father came home. _____

10. How surprised I was to see the big birthday cake on the table!
_____

11. What kind of cookies are you baking for the Halloween party?
_____

12. Always cross a busy street at the stoplights. _____

13. "Help me! I can't swim!" screamed the frightened little girl.
_____

Skill: Classifying Types of Sentences.

# ¿Qué clase de oración es?

Existen cuatro clases de oraciones: oraciones **enunciativas**, oraciones **imperativas**, oraciones **exclamativas** y oraciones **interrogativas**.

En la línea en blanco que se encuentra al final de cada oración, escribe el tipo de oración que corresponda.

| enunciativa,   imperativa,   exclamativa,   interrogativa |
| --- |

1. ¿Qué te gustaría tomar en el desayuno? _____

2. Deja tus botas en la puerta trasera, por favor. _____

3. El diminuto picaflor toma el néctar de las flores de estambres largos.

   _____

4. ¡Qué hermoso vestido el que llevas puesto! _____

5. Tiende tu cama ahora mismo, por favor. _____

6. ¿Te gusta leer libros que hablan sobre el espacio exterior? _____

7. ¡Qué contento estaba por haber ganado el primer
   premio! _____

8. Por favor tráeme un vaso con agua. _____

9. Ya había anochecido cuando llegó papá. _____

10. ¡Qué sorpresa me llevé cuando vi el enorme pastel de cumpleaños en
    la mesa! _____

11. ¿Qué tipo de galletas estás horneando para la fiesta del Día de Brujas?

    _____

12. Siempre cruza las calles con más tráfico en donde haya semáforos.

    _____

13. "¡Ayúdenme! ¡No sé nadar!, gritó la asustada niñita. _____

Objetivo: Clasificar tipos de oraciones.

# Writing Longer Sentences

Sometimes we write too many **short** sentences. Often these short sentences can be written as one **longer** sentence.

Examples:  a)  Some bears dig long holes. They dig under the ground.
b)  Some bears dig long holes under the ground.

Write each pair of sentences as one sentence on the lines provided.

1.  Foxes hunt in the winter. They hunt for food.

_____

2.  The woodpecker drills holes with its beak. Its beak is sharp.

_____

3.  Elephants have trunks. Their trunks are long and wrinkled.

_____

4.  The giraffe is a tall animal. It is the tallest animal in the world.

_____

5.  Muskrats build their homes. They build them with sticks, leaves and roots.

_____

6.  Polar bears have warm coats. Their coats are fur.

_____

7.  Beavers have sharp teeth. Their teeth are strong.

_____

8.  The bluejay is a large bird. It is pretty.

_____

9.  Squirrels eat seeds in the winter. They eat nuts too.

_____

10.  Porcupines have sharp quills. The quills are in their tails.

_____

Skill: Writing Longer Sentences.

# Escribiendo oraciones largas

Algunas veces escribimos demasiadas oraciones **cortas**. Con frecuencia, estas oraciones cortas pueden escribirse como una sola oración **larga**.

Ejemplos:  a)  Algunos osos cavan grandes agujeros.
Los osos cavan agujeros bajo la tierra.
b)  Algunos osos cavan grandes agujeros bajo la tierra.

Escribe cada par de oraciones en una sola oración larga en las líneas de abajo.

1.  Los zorros cazan en el invierno.  Cazan buscando comida.

_____

2.  El pájaro carpintero hace orificios en los árboles con su pico.  Su pico es puntiagudo.

_____

3.  Los elefantes tienen trompas.  Sus trompas son largas y arrugadas.

_____

4.  La jirafa es un animal alto.  Es el animal más alto del mundo.

_____

5.  Las almizcleras construyen sus propias casas.  Las construyen con paja, hojas y raíces.

_____

6.  Los osos polares tienen piel caliente.  Su piel está cubierta de pelo.

_____

7.  Los castores tienen dientes muy filudos.  Sus dientes son fuertes.

_____

8.  Las urracas son unas aves grandes.  Son bonitas.

_____

9.  Las ardillas comen nueces en el invierno.  También comen semillas.

_____

10.  Los puercoespines tienen púas puntiagudas.  Las púas están en sus colas.

_____

Objetivo: Escribir oraciones largas.

# Sentences Can be too Long

If a sentence is **too** long it is not easy to read.

**Example:** My father drives a truck that takes cars to cities and it is a big truck, too.

*My father drives a big truck that takes cars to cities.*

Write a shorter, better sentence for each long and awkward sentence.

1. My father is an attendant at a gas station and he works quickly whenever a car is driven up to the gas pump.

   _____

   _____

2. Mary planted a garden for herself and in it she planted flower seeds and vegetable seeds.

   _____

   _____

3. Mrs. Winter had some kittens and they were pretty and white.

   _____

   _____

4. The apple tree was filled with apples and the apples were big and red.

   _____

   _____

5. The old shoemaker made shoes to sell so he made red ones, green ones and black ones.

   _____

   _____

6. The parrot in the pet store window could talk and he was big and green.

   _____

   _____

7. The tree had many leaves and the leaves were colorful.

   _____

   _____

8. We watched the parade pass by and it was the Santa Claus Parade.

   _____

   _____

**Skill:** Making Long Awkward Sentences Shorter.

# Las oraciones pueden ser demasiado largas

Si la oración es **muy** larga, no es muy fácil de leer.

Ejemplo:     Mi papá maneja un camión que lleva autos a las ciudades y es también un camión muy grande.
*Mi papá maneja un camión grande que lleva autos a las ciudades.*

Escribe una mejor oración que sea más corta para cada oración larga y rara.

1. Mi papá trabaja en una estación de gasolina y trabajar rápidamente cuando un auto llega a la estación de gasolina.

   _____

   _____

2. María plantó un jardín y en ese jardín plantó semillas de flores y semillas de vegetales.

   _____

   _____

3. La Sra. Pérez tenía unos gatitos y eran bonitos y blancos.

   _____

   _____

4. El manzano estaba lleno de manzanas y las manzanas eran grandes y rojas.

   _____

   _____

5. El anciano zapatero hizo zapatos para vender así que hizo unos de color rojo, unos de color verde y otros de color negro.

   _____

   _____

6. El loro que estaba en la tienda de animales podía hablar y era grande y verde.

   _____

   _____

7. El árbol tenía muchas hojas y las hojas eran de colores.

   _____

   _____

8. Vimos pasar la parada y era la Parada de Santa Claus.

   _____

   _____

Objetivo: Acortar oraciones largas.

# Describing Sentences

Write **five** good sentences about each picture.

Remember to use a **capital letter** on the first word and a **period** at the end of each sentence.

Skill: Writing good descriptive sentences about a picture.

# Oraciones descriptivas

Escribe **cinco** buenas oraciones acerca de cada figura.

No olvides usar letra **mayúscula** en la primera palabra y un **punto** al final de cada oración.

Objetivo: Escribir buenas oraciones descriptivas acerca de una figura.

# Describing Sentences

Write **four** good sentences about each picture.  Remember to use a **capital letter** on the first word and a **period** at the end of each sentence.  Use a different beginning for each one.

Skill: Writing Descriptive Sentences About a Picture.

OTM-2530 • SSY1-30 Composición de Oraciones

# Oraciones descriptivas

Escribe **cinco** buenas oraciones acerca de cada figura.
No olvides usar letra **mayúscula** en la primera palabra y un **punto** al final de cada oración.  Usa un comienzo diferente para cada caso.

Objetivo: Escribir buenas oraciones descriptivas acerca de una figura.

# Respuestas/Answer Key

**Page 4:**
Sentences to be underlined are **1**; **3**; **4**; **7**; **9**

**Página 5:**
Las oraciones que se subrayan son:
**1**; **3**; **4**; **7**; **9**

**Page 6:**
All sentences must begin with a capital letter and end with a period.

**Página 7:**
Todas las oraciones deben empezar con letra mayúscula y terminar con un punto.

**Page 8:**
Answers may vary.

**Página 9:**
Respuestas diferentes.

**Page 10:**
Answers may vary.

**Página 11:**
Respuestas diferentes.

**Page 12:**
Answers may vary.

**Página 13:**
Respuestas diferentes.

**Page 14:**
Answers may vary.

**Página 15:**
Respuestas diferentes.

**Page 16:**

| | | |
|---|---|---|
| 1. are | 2. is | 3. are |
| 4. Are | 5. is | 6. is |
| 7. Were | 8. were | 9. were |
| 10. was | 11. was | 12. were |

**Página 17:**

| | | |
|---|---|---|
| 1. estaban | 2. es | 3. están |
| 4. Estás | 5. Son | 6. son |
| 7. está | 8. son | 9. Están |
| 10. soy | 11. están | 12. es |

**Page 18:**

A)
| | | |
|---|---|---|
| 1. saw | 2. seen | 3. seen |
| 4. seen | 5. saw | 6. seen |

B)
| | | |
|---|---|---|
| 1. come | 2. came | 3. come |
| 4. came | 5. come | 6. come |

**Página 19:**

A)
| | | |
|---|---|---|
| 1. vi | 2. visto | 3. visto |
| 4. visto | 5. vio | 6. visto |

B)
| | | |
|---|---|---|
| 1. venido | 2. vinieron | 3. venido |
| 4. vinieron | 5. venido | 6. venido |

**Page 20:**

A)
| | | |
|---|---|---|
| 1. did | 2. did, did | 3. did |
| 4. done | 5. done | 6. done |

B)
| | | |
|---|---|---|
| 1. gone | 2. gone | 3. went |
| 4. gone | 5. went | 6. gone |

**Página 21:**

A)
| | | |
|---|---|---|
| 1. hizo | 2. hicieron, hacía | 3. hicieron |
| 4. hecho | 5. hecho | 6. hecho |

B)
| | | |
|---|---|---|
| 1. ido | 2. ido | 3. fue |
| 4. ido | 5. fue | 6. ido |

**Page 22:**

A)
| | | |
|---|---|---|
| 1. ran | 2. run | 3. run |
| 4. ran | 5. run | 6. run |

B)
| | | |
|---|---|---|
| 1. eaten | 2. ate | 3. eaten |
| 4. eaten | 5. eaten | 6. ate |

**Página 23:**

A)
| | | |
|---|---|---|
| 1. corrí | 2. corrido | 3. corrido |
| 4. corrieron | 5. corrido | 6. corrió |

B)
| | | |
|---|---|---|
| 1. comido | 2. comí | 3. comido |
| 4. comido | 5. comido | 6. comimos |

## Page 24:

**A)** 1. may  2. can  3. May  4. can
5. can  6. may  7. can  8. May

**B)** 1. given  2. gave  3. given  4. given
5. gave  6. given  7. gave  8. given

## Página 25:

**A)** 1. puedo  2. debo  3. puedes
4. deben  5. deben  6. puedes
7. pueden  8. debe

**B)** 1. dado  2. dio  3. dimos
4. dio  5. dio  6. dio
7. dieron  8. dado

## Page 26:

**A)** 1. These  2. This  3. those  4. that
5. those  6. This  7. Those
8. This, that

**B)** 1. an; a  2. a; an  3. a; an
4. An; an  5. an; a; a; an
6. an; a; a; an

## Página 27:

**A)** 1. Estos  2. Esta  3. esos
4. ese  5. estos  6. Este
7. Esos  8. Este, ese

**B)** 1. un  2. unas  3. el
4. las  5. el  6. unos

## Page 28:

**A)** 1. written  2. wrote  3. written
4. wrote  5. written  6. written
7. written  8. wrote

**B)** 1. broken  2. broke  3. broken
4. broke  5. broken  6. broke
7. broke  8. broken

## Página 29:

**A)** 1. escrito  2. escribió  3. escribimos
4. escribió  5. escrito  6. escrito
7. escrito  8. escribe

**B)** 1. roto  2. rompió  3. roto
4. rompió  5. roto  6. rompió
7. rompió  8. roto

## Page 30:

1. Once upon a time there was a boy named Jack.
2. He lived in a small cottage with his mother.
3. Jack had to take the cow to the market to sell.
4. Jack sold the cow to a man for some magic beans.
5. Jack's mother seized the beans and threw them out of the window
6. The next morning a huge beanstalk stood in the garden.
7. Jack decided to climb the beanstalk all the way to the top.
8. Jack followed a road that led to a beautiful castle.
9. The old woman told Jack that a giant lived in the castle.
10. Jack hid in the oven when he heard the giant's voice.

## Página 31:

1. Había una vez un niño llamado Juanito.
2. Juanito vivía con su madre en una pequeña casita.
3. Juanito tuvo que llevar la vaca al mercado para venderla.
4. Juanito le vendió la vaca a un hombre a cambio de unas judías mágicas.
5. La madre de Juanito vio las judías y las tiró por la ventana.
6. La mañana siguiente una enorme planta había crecido en el jardín.
7. Juanito decidió trepar hasta lo más alto de la planta.
8. Juanito siguió trepando hasta que encontró un camino que lo conducía a un hermoso castillo.
9. La anciana le dijo a Juanito que un gigante vivía en el castillo.
10. Juanito se escondió en el horno cuando escuchó la voz del gigante.

**Page 32:**

1. North America is made up of three countries.
2. The United States, Canada and Mexico are countries found in North America.
3. Canada is found in the northern part.
4. The United States sits in the middle of it.
5. Mexico is found in the southern part.
6. In some parts of North America there are mountains and deserts.
7. The first people to live in North America were the Inuit and the Native people.
8. The Atlantic Ocean is on its east coast.
9. Some parts of North America are very cold.
10. The Pacific Ocean is found on the west coast.

**Página 33:**

1. América del Norte está compuesta por tres países.
2. Los países que se encuentran en América del Norte son Canadá, Estados Unidos y México.
3. Canadá se encuentra en la parte norte.
4. Estados Unidos está en el medio.
5. México se encuentra en la parte sur.
6. En algunas partes de América del Norte hay montañas y desiertos.
7. Los primeros pueblos que vivieron en América del Norte fueron los Inuit y los Nativos.
8. El Océano Atlántico está en la costa este.
9. Algunas partes de América del Norte son muy frías.
10. El Océano Pacífico se encuentra en la costa oeste.

**Page 34:**

1. Beavers have strong sharp teeth.
2. The cardinal is a pretty red bird.
3. Porcupines have sharp quills in their tails.
4. Polar bears have warm fur coats.
5. Squirrels eat nuts and seeds in the winter.
6. The woodpecker drills holes with its sharp beak.
7. Muskrats build their homes with sticks, leaves and roots.
8. The giraffe is the tallest animal in the world.
9. A rabbit lives in a deep hole under the ground.
10. Many cows and horses live in the barn during the winter.

**Página 35:**

1. Los castores tienen dientes muy filudos y fuertes.
2. El cardenal es un pájaro bonito de color rojo.
3. Los puercoespines tienen púas puntiagudas en sus colas.
4. Los osos polares tienen piel caliente cubierta de pelo.
5. Las ardillas comen nueces y semillas en el invierno.
6. El pájaro carpintero hace orificios en los árboles con su pico puntiagudo.
7. Las almizcleras construyen sus propias casas con paja, hojas y raíces.
8. La jirafa es el animal más alto del mundo.
9. Los conejos viven en agujeros profundos debajo de la tierra.
10. Las vacas y los caballos viven en el granero durante el invierno.

**Page 36:**
1. My mother made me a pretty pale yellow dress.
2. I have a smart dog that does tricks.
3. I saw squirrel tracks in the snow all around our back door.
4. On Saturday I played hopscotch with Maria on our driveway.
5. We found white trilliums as we walked through the woodlot.
6. We saw a funny clown riding a little bike.
7. I went skating with Katie on the pond.
8. Lisa's pony Star likes to eat apples.

**Página 37:**
1. Mi mamá me hizo un bonito vestido de color amarillo pálido.
2. Tengo un perro inteligente que hace trucos.
3. Vi huellas de ardilla en la nieve por la puerta trasera de nuestra casa.
4. El sábado jugué al avión con María en la entrada de mi casa.
5. Cuando caminábamos por el bosque vimos mariposas de colores.
6. Vimos un payaso gracioso que manejaba una bicicleta diminuta.
7. Fui a patinar al estanque con Sara.
8. La potra de Silvia que se llama Estrella adora comer manzanas.

**Page 38:**
The sentences circled should be 1; 3; 4; 6; 7; 9

**Página 39:**
Las oraciones que se encierran en un círculo son: 1; 3; 4; 6; 7; 9

**Page 40:**
Answers may vary.

**Página 41:**
Respuestas diferentes.

**Page 42:**
The sentences circled should be 1; 5; 6; 7; 9

**Página 43:**
Las oraciones que se encierran en un círculo son: 1, 5, 6, 7, 9

**Page 44:**
Answers may vary.

**Página 45:**
Respuestas diferentes.

**Page 46:**
The sentences circled should be 1; 4; 5; 7; 10

**Página 47:**
Las oraciones que se encierran en un círculo son: 1, 4, 5, 7, 10

**Page 48:**
Answers may vary.

**Página 49:**
Respuestas diferentes.

**Page 50:**
1. Question
2. Command
3. Telling
4. Exclamatory
5. Command
6. Question
7. Exclamatory
8. Command
9. Telling
10. Exclamatory
11. Question
12. Command
13. Exclamatory

**Página 51:**
1. Interrogativa
2. Imperativa
3. Enunciativa
4. Exclamativa
5. Imperativa
6. Interrogativa
7. Exclamativa
8. Imperativa
9. Enunciativa
10. Exclamativa
11. Interrogativa
12. Imperativa
13. Exclamativa

**Page 52:**
1. Foxes hunt for food in the winter.
2. The woodpecker drills holes with its sharp beak.
3. Elephants have long and wrinkled trunks.
4. The giraffe is the tallest animal in the world.
5. Muskrats build their homes with sticks, leaves and roots.
6. Polar bears have warm fur coats.
7. Beavers have strong sharp teeth.
8. The bluejay is a large, pretty bird.
9. Squirrels eat seeds and nuts in the winter.
10. Porcupines have sharp quills in their tails.

**Página 53:**
1. Los zorros cazan buscando comida en el invierno.
2. El pájaro carpintero hace orificios en los árboles con su pico puntiagudo.
3. Los elefantes tienen trompas largas y arrugadas.
4. La jirafa es el animal más alto del mundo.
5. Las almizcleras construyen sus propias casas con paja, hojas y raíces.
6. Los osos polares tienen piel caliente cubierta de pelo.
7. Los castores tienen dientes muy filudos y fuertes.
8. Las urracas son unas aves grandes y bonitas.
9. Las ardillas comen nueces y semillas en el invierno.
10. Los puercoespines tienen púas puntiagudas en sus colas.

**Page 54:**
Answers may vary.

**Página 55:**
Respuestas diferentes.

**Page 56:**
Answers may vary.

**Página 57:**
Respuestas diferentes.

**Page 58:**
Answers may vary.

**Página 59:**
Respuestas diferentes.